BOLLERÍA

Xavier Barriga

BOLLERÍA
Hecha en casa y con el sabor de siempre

Fotografías de Marc Vergés

Grijalbo

Este libro está dedicado a todas las personas pacientes
y perseverantes, comprensivas, tolerantes y honestas;
con todas estas cualidades, nada puede salir mal...
ni la bollería.

P. D. a la dedicatoria
(porque siempre es bueno agradecer a quien se lo merece):

A Rosi Mouzo y al resto del equipo editorial,
por la paciencia que tienen conmigo.
A mi familia, por lo mismo (y más).
Al equipo humano de Turris, por aguantar mis idas
y venidas y por ayudarme cuando hace falta.
A todos vosotros, los lectores, sencillamente por confiar en mí.

Índice

Introducción

El libro que tienes en las manos está estructurado en cuatro grandes secciones, que corresponden a las cuatro grandes familias de productos que componen el amplio mundo de la bollería o los bollos dulces. Se trata de las masas fermentadas, las masas hojaldradas, las masas hojaldradas y fermentadas y, por último, las masas esponjadas. A partir de estos cuatro tipos de masas se elaboran multitud de productos, combinando diferentes formas, tamaños, acabados y rellenos. Así nace el extraordinario universo de la bollería, de una variedad prácticamente inagotable.

Una vez tengas los fundamentos bien aprendidos y practicados, este libro te dará ideas con las que, mezcladas con mucha imaginación, podrás sorprender a los tuyos ofreciéndoles un dulce diferente todos los días.

No sería justo decir que elaborar bollería en casa es fácil, pues existen unos requerimientos técnicos, explicados en este libro, que hay que seguir escrupulosamente. También es necesaria cierta práctica y habilidad para obtener unos resultados «profesionales». Sin embargo, no debe ser esta tu obsesión, sino que lo importante después de leer el libro es que te atrevas a preparar las recetas, que pierdas el miedo a ponerte en marcha y que obtengas piezas con buen sabor, que crezcan en el horno y que queden esponjosas y tiernas.

Las recetas que te propongo aquí son el fruto de muchos años de oficio, de largas horas de amasar y de algunas noches sin dormir por no haber conseguido lo que esperaba. He realizado muchas pruebas en casa (sobre todo de horno) hasta lograr los resultados que me han satisfecho profesionalmente, y de este modo me he dado cuenta de lo que puede llegar a elaborarse en una cocina. Preparar en casa pequeñas cantidades de bollería no es muy diferente de hacerlo en un obrador de panadería o pastelería si tienes los medios técnicos necesarios (amasadora o robot de cocina y un buen horno son casi imprescindibles) y los conocimientos para superar las limitaciones de la cocina.

Un aspecto de las masas que resulta importante llegar a dominar es la hidratación. Esta depende en gran medida del grado de dureza que se quiere que tenga la masa, pero también de la cantidad de proteínas insolubles (fuerza) que tenga la harina con que trabajamos, ya que son estas proteínas las principales encargadas de absorber el agua del amasado. En las recetas que siguen se dan unas cantidades orientativas de líquidos, pero deberás adaptarlas, sobre todo la del agua, en función de las necesidades de la masa que estés elaborando en ese momento. La paciencia y el saber esperar son también elementos clave que te conducirán al éxito.

Después de estudiar las masas base de la bollería, este libro dedica un espacio a las elaboraciones típicas y a veces asociadas a las celebraciones más señaladas, que nos endulzan el final de una jornada festiva. A continuación, echa un vistazo a la rica tradición de la bollería fuera de nuestras fronteras y atrévete a elaborar algunos productos europeos tradicionales y de gran prestigio internacional. La bollería salada también tiene su sección, donde encontrarás piezas sencillas, prácticas y muy ricas y sabrosas. Por supuesto, no me olvido de los más pequeños de la casa, a quienes dedico cuatro recetas que los divertirán, tanto cuando estén ayudando a prepararlas como cuando luego se coman lo que ellos mismos han hecho.

Para terminar, he reservado un espacio importante del libro al grupo de los consumidores con necesidades especiales, que debido a intolerancias u otras causas deben reducir el consumo, o eliminar por completo de su dieta, algunas sustancias como la lactosa, la sacarosa o el gluten. La bollería integral rica en fibra y baja en calorías tiene su propio capítulo, con la intención de completar la amplia gama de productos que te propongo en este libro.

Espero que con todas estas herramientas la bollería casera deje de ser un misterio a partir de ahora y que las recetas de este libro pasen a engrosar la lista de tus recetas favoritas.

¡Salud, suerte y buen provecho!

TODO INTEGRAL

La bollería con fibra es una excelente opción para quien quiera cuidarse sin renunciar al exquisito sabor de los cruasanes, las magdalenas o los plumcakes.

Cruasán integral con semillas

Receta para 17 cruasanes integrales

500 g de harina integral de trigo

10 g de sal

25 g de azúcar

290 ml de agua fría

20 g de levadura prensada

225 g de mantequilla para el plegado

100 g de mezcla de semillas (lino dorado, mijo, sésamo, avena, pipa de girasol, pipa de calabaza, amapola)

1 huevo para pintar las piezas

sal

mezcla de semillas para rebozar los cruasanes

Calienta agua y cuando arranque el hervor viértela sobre la mezcla de semillas en un cuenco. Remueve un poco y deja las semillas en remojo hasta que el agua se enfríe completamente. Es preferible que hagas esta operación el día anterior.

Sigue los pasos indicados en la página 66 para elaborar la masa hojaldrada con levadura. Recuerda que es necesario amasar hasta obtener una masa firme, lisa y de tacto suave. Al tratarse de harina integral, el amasado será algo más largo y difícil, ya que el salvado que contiene la harina integral dificulta la formación del gluten.

Incorpora la mezcla de semillas al final y trabaja la masa un poco más hasta que vuelva a estar lisa.

Una vez hayas realizado el plegado, tapa la masa con film transparente y déjala en la nevera durante una hora como mínimo, aunque, si es posible, déjala unas 3 horas para que pierda todo el nervio que adquirió durante la fase del plegado.

Enharina la masa y la superficie de trabajo. Estira la masa con el rodillo hasta que tengas una lámina de un grosor de ½ centímetro aproximadamente y corta triángulos de masa de 9 centímetros de base por 26 de largo. El peso ideal en masa de estos triángulos es de 75 gramos.

Con la parte ancha del triángulo hacia arriba, realiza un corte en la base del triángulo (véase la foto 1 de la página 70) y enróllalo hacia abajo, intentando tirar hacia los extremos la parte de las patas. Estos cruasanes integrales los haremos sin cuernos para evitar romper excesivamente la masa.

Una vez formados, pinta los cruasanes con huevo ligeramente batido con un poquito de sal. Rebózalos inmediatamente con la misma mezcla de semillas que incorporaste a la masa, en este caso sin remojar.

Pon los cruasanes integrales en una bandeja de horno forrada con papel sulfurizado, dejando una separación prudencial entre ellos, pues una vez cocidos habrán doblado su volumen.

Deja fermentar los cruasanes hasta que casi hayan doblado su volumen, aproximadamente 1 hora.

Calienta el horno a 190 °C.

Hornéalos durante 18 minutos.

Deja enfriar los cruasanes sobre una rejilla para que la parte inferior se airee correctamente.

HAZ MINICRUASANES integrales de cereales y rellénalos de jamón york y queso fresco para disfrutar de unos bocadillos muy saludables y caprichosos.

Magdalenas de harina de espelta integral

Receta para 12 magdalenas

125 g de huevo

175 g de azúcar moreno

60 ml de leche desnatada

190 ml de aceite de oliva suave

210 g de harina de espelta integral

7 g de impulsor o levadura química

ralladura de limón

una pizca de sal

salvado fino de espelta o de trigo

Bate los ingredientes de la masa siguiendo los pasos indicados en la página 87.

Cuando saques la masa de la nevera (tras un reposo mínimo de 2 horas), remuévela enérgicamente con un batidor manual.

Calienta el horno a 250 °C.

Llena de masa una manga pastelera con boquilla lisa y reparte porciones en las cápsulas de magdalena. Recuerda que también puedes hacerlo con una cuchara. Llena las cápsulas hasta un poco más de las tres cuartas partes de su capacidad.

Antes de hornear las magdalenas de harina de espelta integral espolvoréalas con un poco de salvado fino de espelta para aumentar su contenido de fibra.

Hornea las magdalenas a 210 °C entre 14-16 minutos aproximadamente.

HAZ MAGDALENAS INTEGRALES de tamaño pequeño y decóralas con un mezcla de semillas para añadirlas al surtido de minimagdalenas propuesto en el capítulo sobre las masas esponjadas. Aportarán la cantidad de fibra que todo surtido debe tener.

Plumcake integral de dos sésamos

Receta para 5 plumcakes de 250 gramos cada uno

125 g de mantequilla

325 g de harina integral de trigo

50 g harina integral de centeno

8 g de impulsor

275 g de azúcar moreno

300 g de huevo (6 unidades
 aproximadamente)

100 ml de leche desnatada

50 ml de aceite de girasol

la ralladura de ½ limón

una pizca de sal

sésamo blanco tostado

sésamo negro

Calienta la mantequilla hasta que tenga la textura pomada.

Mezcla las dos harinas con el impulsor y tamízalas.

Mezcla el azúcar moreno con la ralladura de limón.

Esponja los huevos en la batidora junto con la mezcla de azúcar moreno y ralladura.

Cuando el batido haya adquirido un buen volumen, añade el aceite de girasol y a continuación la leche desnatada.

Incorpora a continuación la mantequilla pomada, y finalmente la mezcla de las harinas, el impulsor y una pizca de sal.

Deja reposar la masa en la nevera durante 30 minutos como mínimo o hasta el día siguiente.

Enciende el horno y gradúa la temperatura a 170 °C.

Pinta con mantequilla fundida los moldes de plumcake que vayas a utilizar y espolvoréalos muy ligeramente con harina.

Vierte la masa en los moldes hasta llenar tres cuartas partes de su capacidad.

Espolvorea la superficie de la masa con una mezcla de sésamo blanco y sésamo negro.

Hornea los plumcakes durante 25 minutos. Puedes hacer la prueba del palillo para determinar si la cocción ha terminado: pincha la masa con un palillo; si sale limpio y seco es que el plumcake está bien cocido.

Retira los plumcakes del horno y desmóldalos. Deja que se acaben de enfriar sobre una rejilla.

DECORA LOS PLUMCAKES con salvado de trigo o con una buena mezcla de semillas para darles otro acabado saludable. Con esta misma masa y los moldes apropiados puedes hacer magdalenas o tortas cuadradas. Quizá no tengan la misma textura que las hechas de la forma habitual, pero es una buena manera de sacar provecho a una receta.

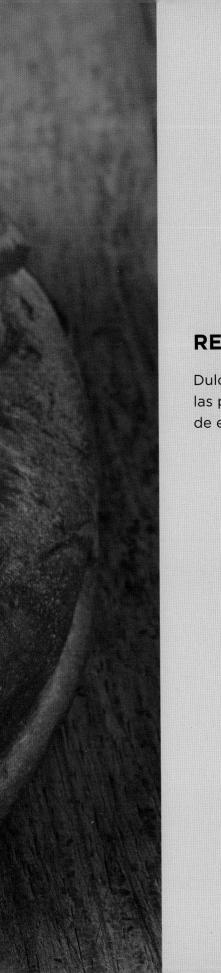

RELLENOS Y OTRAS PREPARACIONES

Dulces cremas, rellenos y guarniciones para acompañar las piezas de bollería más originales. Deliciosas y fáciles de elaborar.

Crema pastelera

750 ml de leche
250 g de azúcar
un trozo de piel de limón
1 rama de canela
250 ml de leche
6 yemas de huevo
80 g de almidón de maíz (maicena)

Hierve los 750 ml de leche y déjalos en infusión con el limón y la rama de canela durante 24 horas en la nevera. Pasa la leche por un colador y añádele el azúcar.

Al resto de la leche (250 ml), agrégale las yemas de huevo y el almidón. Remueve con un batidor manual y procura que no queden grumos.

Pon a hervir la leche con el azúcar y, cuando arranque el hervor, incorpórale la papilla de yemas, leche y maicena. Remueve la mezcla fuera del fuego.

Pon a calentar de nuevo la crema obtenida y cuécela a fuego fuerte durante 1 minuto.

Tapa la crema con un film transparente para que no haga corteza y déjala enfriar antes de utilizarla.

Crema de vainilla

750 ml de leche

225 g azúcar

2 vainas de vainilla

250 ml leche

6 yemas de huevo

70 g almidón de maíz (maicena)

Abre dos vainas de vainilla y, con un cuchillo de puntilla, rasca la pulpa del interior y resérvala.

Hierve los 750 ml de leche y déjalos en infusión con las vainas de vainilla vacías durante 24 horas. Pasado este tiempo, cuela la leche y añádele el azúcar.

Al resto de la leche añádele las yemas de huevo, la pulpa de vainilla y el almidón. Remueve con un batidor manual procurando que no se formen grumos.

Pon a hervir la infusión de leche mezclada con el azúcar.

Cuando arranque el hervor, agrégale la papilla de yemas, leche, vainilla y almidón. Remueve la mezcla fuera del fuego.

Cuece la crema obtenida a fuego vivo durante 1 minuto.

Tapa la crema de vainilla con un film transparente para que no haga corteza y déjala enfriar antes de utilizarla.

Streusel de limón

60 g de mantequilla fría
90 g de azúcar en grano
70 g de harina floja
70 g de almendra molida
la ralladura de 1 limón

Saca la mantequilla de la nevera y córtala en dados pequeños. Mézclala con el resto de los ingredientes y trabaja el conjunto con la mano hasta que se forme una especie de masa granulada. No la trabajes en exceso, pues el streusel debe quedar como si fueran migas.

Resérvalo en la nevera o en el congelador hasta que vayas a utilizarlo.

Mazapán

150 g de almendra cruda molida

150 g de azúcar glas

60 g de clara de huevo (la clara de 2 huevos)

Mezcla manualmente la almendra molida, el azúcar glas y las claras de huevo hasta formar una masa blanda pero moldeable.

No trabajes excesivamente el mazapán y, una vez listo, resérvalo en la nevera tapado con film transparente.

Índice de recetas

Bollería de masa hojaldrada fermentada

Bollería de masa esponjada

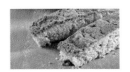

Los de toda la vida

De inspiración europea

Algo más que dulce

Para los peques de la casa

Intolerancia cero

Todo integral

Rellenos y otras preparaciones

Índice de ingredientes